Le joli poulain d'Amy

Nadja
Julie Camel

playBac

Amy a peur de monter à cheval

Amy habite aux États-Unis dans un beau **ranch**, au Texas. Sa maison est entourée de prairies, et elle voit des chevaux brouter et cavalcader sous ses fenêtres.
Ils s'entraînent aussi dans un enclos, où les **cow-boys** les dressent et leur apprennent à sauter les obstacles.

Amy grimpe souvent sur la barrière pour les regarder. Elle admire leurs mouvements gracieux, leurs crinières qui ondulent, quand ils galopent fièrement autour de l'enclos.

Mais Amy a un problème : elle a peur de monter à cheval. Chaque fois qu'elle essaie, aidée par Jim, un vieux **cow-boy** qui l'aime beaucoup, elle se bloque et s'agrippe à lui. Ses parents, ses frères et tous les employés du **ranch** tentent de la convaincre.
Mais rien n'y fait.

Un matin, au petit déjeuner, Amy annonce qu'elle ne veut plus qu'on lui en parle.
– De toute façon, je n'y arriverai jamais, ajoute-t-elle.
Sa mère l'écoute en silence. Elle lui sert des **pancakes**, lui tend le **sirop d'érable**, mais son visage sévère montre qu'elle est déçue.

– Je ne comprends pas comment tu peux être si peureuse, lui dit-elle finalement. C'est ridicule. Dans notre famille, tout le monde sait monter à cheval. Même si on a un peu peur au début, il faut le faire quand même.

Amy fond en larmes, et court se réfugier dans le verger. Elle va s'asseoir sous un petit pommier, celui qu'on a planté exprès pour elle quand elle est née. Il n'a jamais eu de pommes, personne ne sait pourquoi.

Quand elle lui raconte ses malheurs, les branches s'agitent doucement. Elle a vraiment l'impression qu'il l'entend et qu'il comprend tout.
– Tu es comme moi, lui dit-elle. Tout le monde voudrait que tu aies des pommes, et moi, tout le monde voudrait que je monte à cheval. Mais je n'y arriverai jamais. Et toi non plus.

Une surprise toute ronde

Un jour, il y a une grande agitation dans le **ranch** : c'est à cause de l'arrivée de Licka, une nouvelle jument. Quand on la sort du van, elle essaie de s'échapper. Elle rue et secoue la tête dans tous les sens. Un **cow-boy** la retient et l'emmène dans un box, bien garni de paille.

– Pourquoi on ne la met pas dans l'enclos avec les autres ? demande Amy.

– Elle attend un bébé, lui dit Jim. Il lui faut du calme et du repos.

Amy pense souvent à la nouvelle jument. Un jour, alors qu'elle est en train de jouer sous son pommier, elle s'interroge à haute voix.
– La pauvre est toute seule et malheureuse. Qu'est-ce qui pourrait lui faire plaisir ?
Soudain, une petite pomme tombe de l'arbre et roule jusqu'à ses pieds. Elle est toute ronde, verte et rouge, si brillante que l'on a envie de la croquer. Amy, très étonnée, la ramasse, puis lève la tête vers le pommier.
– Ça alors ! dit-elle. C'est la première fois que tu as une pomme ! C'est pour que je la donne à Licka ?

Au-dessus d'elle, les feuilles font entendre un léger bruit. Comme un « oui »… Mais tout à coup, le tonnerre gronde, les éclairs déchirent le ciel. Amy rentre vite à la maison pour ne pas être trempée.

Le soir même, alors que l'orage redouble, Amy pense à Licka, toute seule dans son box. Elle a sûrement peur de l'orage, comme tous les chevaux. Amy entend soudain des voix qui appellent, des bruits de pas qui descendent précipitamment l'escalier.

Elle enfile son jean et ses **santiags** sous sa chemise de nuit, puis elle sort et s’avance vers l’écurie, qui est tout éclairée.

Dans son box, la jument est couchée
sur la paille, les yeux fermés, épuisée.
Elle va accoucher, mais elle est si fatiguée !

Autour d'elle, Jim et les parents d'Amy
parlent doucement, ils sont très inquiets.
Amy se glisse derrière eux.
– Il ne faut pas qu'elle s'endorme,
lui explique Jim. Ou le poulain
ne pourra pas naître.

– Licka, murmure Amy.
Au son de sa voix, la jument redresse péniblement la tête et la regarde. Une larme coule de son œil fatigué. Amy ne pense plus à sa peur. Elle va s'asseoir dans la paille à côté de Licka et lui caresse doucement la tête, comme elle a vu Jim le faire pour calmer les chevaux.
– Il faut que tu te réveilles, chuchote Amy. Pour que ton petit bébé naisse.
La jument ne semble même pas l'entendre.

Courage !

C'est alors qu'Amy se souvient de la pomme qu'elle avait glissée dans sa poche.
Elle la prend et la tend timidement à Licka.
– C'est pour toi, lui dit-elle. C'est la première pomme de mon pommier. Je crois qu'elle est spéciale.
Son cœur bat très fort quand la grosse tête se soulève et que les grands naseaux reniflent sa petite main. Puis la jument saisit délicatement la pomme… et la croque.

Alors, il se passe une chose étonnante. Son œil s'anime, elle est tout à fait réveillée maintenant. Soudain, son corps se tend.

Le père d'Amy prend vite sa petite fille dans ses bras pour l'éloigner.
– Je veux rester avec elle ! crie Amy.
– Chut… lui dit son père. Regarde.

Bientôt, sur la paille, un petit poulain est couché, tout maigre et recouvert d'une matière brillante. Licka, au-dessus de lui, le lèche entièrement. Le poulain commence aussitôt à remuer ses longues jambes.
– Il n'est pas malade ? demande Amy.
– Non, il va très bien, lui dit son père. Il va bientôt se lever et se mettre à téter. C'est grâce à toi, mon Amy. Comment veux-tu l'appeler ?
Amy réfléchit un moment.
– Il s'appellera « Courage », dit-elle.

– Tu as vu, Maman, dit Amy en se recouchant, il m'a regardée. Tu crois qu'il m'aimera bien ?
– Sûrement, ma chérie, répond sa mère en l'embrassant.

Tous les jours, Amy va voir Courage.
Il grandit, joue et caracole dans le pré à côté
de sa maman, qui hennit joyeusement
dès qu'elle aperçoit son amie. Amy
est la seule qu'elle laisse approcher
de son poulain et le caresser.

Un beau jour, quand Courage est devenu assez fort pour porter Amy, Jim installe une jolie selle sur son dos. Quand il aide Amy à grimper dessus, elle lui dit calmement :
– Tu peux me lâcher, maintenant.
Tout le monde est venu les regarder, et quand ils font tous les deux un tour de l'enclos au petit trot, tout fiers, on les applaudit bien fort. Et puis… au galop !
C'est merveilleux, Amy rit de bonheur.

Depuis, elle est devenue une parfaite cavalière. Elle aime partir sur son cheval, pour parcourir les prés et les chemins.
Ce qu'il adore, c'est aller jusqu'au pommier, qui est maintenant couvert de pommes.
Il attend qu'Amy cueille une jolie petite pomme et la lui donne à croquer. Puis ensemble, ils repartent au galop.

Joue avec Amy

Vrai ou faux ?

Au début de l'histoire,
Amy sait monter à cheval.

Pourquoi le pommier magique a-t-il été planté ?

1. Pour décorer le jardin.
2. Pour fêter la naissance d'Amy.
3. Pour fêter la naissance de Courage, le poulain.

Que donne Amy à la jument pour l'aider ?

1. Une pomme magique.
2. Une caresse.
3. Rien.

Qui choisit le nom de Courage ?

1. Jim.
2. Le père d'Amy.
3. Amy.

Réponses : Faux. 2. 1. 3.

Parmi ces 3 poulains, lequel est celui d'Amy ?

Réponse : 2.

Devine quel personnage de l'histoire est décrit :

Indice n° 1 :
Je travaille dans le ranch.

Indice n° 2 :
Je suis un cow-boy qui aime beaucoup Amy.

Indice n° 3 :
J'ai une moustache grise.

Indice n° 4 :
J'aide Amy quand elle essaie de monter à cheval.

Réponse : Jim.

Retrouve dans la même collection